O negócio do social

Coleção **PASSO-A-PASSO**

CIÊNCIAS SOCIAIS PASSO-A-PASSO
Direção: Celso Castro

FILOSOFIA PASSO-A-PASSO
Direção: Denis L. Rosenfield

PSICANÁLISE PASSO-A-PASSO
Direção: Marco Antonio Coutinho Jorge

Ver lista de títulos no final do volume

Joana Garcia

O negócio do social

Jorge Zahar Editor
Rio de Janeiro

Copyright © 2004, Joana Angélica Barbosa Garcia

Copyright desta edição © 2004:
Jorge Zahar Editor Ltda.
rua México 31 sobreloja
20031-144 Rio de Janeiro, RJ
tel.: (21) 2240-0226 / fax: (21) 2262-5123
e-mail: jze@zahar.com.br
site: www.zahar.com.br

Todos os direitos reservados.
A reprodução não-autorizada desta publicação, no todo
ou em parte, constitui violação de direitos autorais. (Lei 9.610/98)

Composição eletrônica: TopTextos Edições Gráficas Ltda.
Impressão: Geográfica Editora

Capa: Sérgio Campante

CIP-Brasil. Catalogação-na-fonte
Sindicato Nacional dos Editores de Livros, RJ.

Garcia, Joana
G199n   O negócio do social / Joana Garcia. — Rio de Janeiro: Jorge Zahar Ed., 2004

(Passo-a-passo)

Inclui bibliografia
ISBN 85-7110-786-6

1. Responsabilidade social da empresa. 2. Ação social. 3. Administração de empresas — Aspectos morais e éticos. I. Título. II. Série.

04-1088   CDD 658.408
                                                    CDU 65.012.28

Sumário

O negócio do social 7

O campo da intervenção social no Brasil 10

Os empresários e o social 20

A campanha pela responsabilidade
social das empresas no Brasil 34

O marketing em torno do social ou
"de como fazer o bem com ostentação" 46

Considerações finais 54

Referências e fontes 57

Leituras recomendadas 59

Sobre a autora 61

O negócio do social

A combinação entre interesses privados e virtudes públicas está em alta no mundo dos negócios. Empresas querem ver seus nomes ou de seus produtos associados à idéia da "responsabilidade social". Ainda que seja uma idéia genérica, sua evocação tem representado um diferencial na lógica competitiva do mercado.

A campanha em torno da responsabilidade social corporativa faz parte da agenda do mundo globalizado desde meados da década de 1980. Sua origem, entretanto, não é única, nem sincrônica nos diferentes países que a adotaram. Tal como outros fenômenos que já não obedecem a uma circunscrição territorial, ela aparece como uma medida necessariamente desejável, independent do modelo que a inspira ou dos distintos padrões de interação entre o Estado e o mercado.

Tal campanha procura disseminar uma nova imagem do empresariado, mais consciente, mais politizado. Em alguns países, sua emergência é reflexo de mudanças sociais que exigem maior engajamento desse setor em ações "a favor" da sociedade, que podem resultar em ações concretas ou mudanças de postura. Exemplos dessas mudanças são: preocupação mais intensa em relação à qualidade dos produtos, maior nível de informação sobre os componentes, fórmulas e possíveis impactos a partir do uso, adequação a consumidores com necessidades específicas, além de mais zelo quanto às relações trabalhistas e ambientais. Em outros países, a responsabilidade social consiste essencialmente em estratégias de marketing que buscam associar o produto ou a empresa a um conjunto de valores favoráveis. Embora não sejam modelos necessariamente conflitantes, refletem diferentes visões políticas acerca da natureza da participação do empresariado e, por isso, apresentam conotações igualmente diferentes sobre a idéia de "responsabilidade social". Em comum: ambos têm buscado relativizar o aparente antagonismo entre interesses privados e compromissos públicos.

Essa campanha, na forma como é atualmente difundida, é recente na cultura empresarial brasileira, embora parte das ações que a notabilizam nem sempre constitua uma novidade. É o caso da "filantropia empresarial". A prática filantrópica não é um fenômeno contemporâneo, embora tenha sido exercida de forma atomizada e assistemática ao longo de todo o período republicano. Sua institucionalização no Brasil, como em outros países, seja através de leis ou de incentivos fiscais, também é, de certo modo, anterior à grande visibilidade que a campanha pela responsabilidade social passou a ter nas duas últimas décadas.

A distinção entre "filantropia empresarial" e "responsabilidade social" das empresas é relevante não só para caracterizar "o que há de novo sob o sol", mas também para dimensionar a amplitude de cada uma. A campanha pela responsabilidade social das empresas inclui práticas de filantropia empresarial, mas não se restringe a elas. Mesmo considerando que uma empresa socialmente responsável não está obrigada a realizar doações nem outra forma de atendimento assistencial, a filantropia empresarial, nos moldes como hoje é exercida, é uma referência significativa para as ações da campanha pela responsabilidade social, o que pode resultar na utilização desses termos como equivalentes.

A participação de determinados segmentos empresariais nas ações sociais é inédita e positiva em relação a dois aspectos: o primeiro, como um diferencial para uma cultura empresarial baseada exclusivamente no lucro. Os segmentos engajados na campanha de responsabilidade social são, nessa lógica, uma vanguarda que pretende redefinir o *ethos* empresarial e sua visibilidade na sociedade. Em segundo lugar, a contribuição empresarial busca trazer resultados para o campo filantrópico em relação à maior eficiência das ações e, numa perspectiva mais ampla, gerar uma consciência cívica em torno da idéia de responsabilidades sociais compartilhadas.

O negócio do social será aqui descrito como uma "novidade" oportuna para orientar mudanças no sentido de uma modernização positiva. A relação desses segmentos com o "social", os traços da filantropia no Brasil que combinam com essas ações empresariais, a difusão da campanha por aqui e de que modo o marketing é reportado ora como recurso ora como finalidade constituem os temas que este livro pretende discutir, incentivando um debate ainda incipiente e muito marcado pelo entusiasmo.

O campo da intervenção social no Brasil

O termo "social" tem sido empregado para designar tanto um conjunto de relações e práticas específicas, quanto um determinado segmento da sociedade. Quando se refere a relações e práticas, trata-se de um campo em disputa. Formas tradicionais e modernas, portadoras de valores diversificados e conflitantes, coabitam o campo da intervenção social. Quando relacionado a um conjunto de indivíduos qualificados — "o social" —, é caracterizado pela desintegração, pelo contraste com a sociedade. O social, nessa segunda acepção, serve como celeiro das relações e práticas da primeira, e adquire um sentido mais unificado. Enquanto as ações sociais são diversificadas, há pelo menos um fator de interseção considerável entre elas: o público a que se destinam. Em se tratando de caridade, filantropia ou assistência, tem-se por tradição, por fundamento ou por critérios seletivos, a focalização nos segmentos mais pauperizados da sociedade brasileira.

O campo da intervenção social nos dias atuais é constituído por um conjunto de práticas bastante diferenciadas, disputadas por agentes igualmente diversos. Ações sociais identificadas com a filantropia tradicional dividem o campo com a forma moderna de assistência, caracterizada pelo princípio constitucional de acesso a serviços sociais como um direito de cidadania.

A coexistência de práticas tão diversas é derivada de uma longa história de alianças entre instituições públicas e privadas, valores laicos e religiosos, projetos de mudança e de continuidade, que resultam em combinações igualmente híbridas: Estado reproduzindo lógicas de favor e interesses privatistas; segmentos da iniciativa privada propondo ações com base na concepção de cidadania, reclamando a denominação de instituições privadas com interesses públicos. Diante desse hibridismo, compreender a filantropia como toda ação social exercida por indivíduos ou instituições não-governamentais e a assistência social como política definida pelo Estado é uma simplificação que não ajuda a reconhecer a composição do campo, nem mesmo os conteúdos de cada forma de intervenção. Não se trata simplesmente de um problema de competências, mas das concepções que orientam as práticas interventivas. Por isso, não é incomum, no caso brasileiro, caracterizar determinadas políticas públicas de "filantrópicas", como uma forma de referi-las menos aos formuladores e mais aos seus pressupostos. É, portanto, nesse conjunto complexo, altamente marcado por valores éticos de diferentes origens, que se inscreve a chamada "filantropia empresarial".

Os usuários preferenciais das diferentes formas de intervenção social no Brasil, cada vez mais prescindíveis ao mercado de trabalho, personificam o incômodo e a ameaça para uma sociedade cuja lógica se assenta na propriedade individual e na busca permanente de prosperidade econômica. Por isso, as estratégias modernas de enfrentamento da pobreza são, na verdade, muito mais ações paliativas e emergenciais do que (como muitas vezes figura em discursos programáticos) formas efetivas de sua erradicação. Em períodos determinados por crises econômicas e seus reflexos negativos na capacidade de incorporar os indivíduos à vida produtiva e de facultar o acesso a bens de consumo, essas estratégias assumem maior centralidade. O debate sobre a filantropia empresarial e sua participação na "ação contra a pobreza" surge nesse cenário da crise do Estado de bem-estar social e da proposta, em escala mundial, de reconfiguração dos papéis do Estado, do mercado e da sociedade civil.

A trajetória difusa da assistência como política pública no Brasil. A filantropia e a caridade são consideradas formas tradicionais de intervenção social. Embora suas origens sejam anteriores, as referências aqui adotadas são pertinentes à história republicana brasileira, que inaugura uma racionalidade própria para equacionar as distorções decorrentes da questão social e atribui a essas práticas um sentido particular. Essa racionalidade tem como base a idéia de constituir vínculos entre indivíduos e sociedade através de projetos de reforma social e moral baseada na prevenção, contenção e assistência. Esses elementos serão tomados aqui, como referência norteadora das principais formas de intervenção social existentes na história republicana e que ainda figuram no ideário de muitos projetos sociais atuais.

Exatamente pelo fato de serem formas tradicionais de intervenção social, tanto a filantropia como a caridade são freqüentemente caracterizadas de modo genérico. A definição mais corrente de filantropia é a que a concebe como amor à humanidade, altruísmo, humanitarismo. Embora inespecífica, nem por isso perde sua validade como um apelo agregador a quem se dispõe a fazer o bem.

Na história brasileira, a filantropia e a caridade se ocuparam preferencialmente de ações voltadas para os pobres, o que as aproximou também em termos valorativos. Um exemplo distinto do brasileiro é o caso americano. Segundo Francis Ostrower, autora que estudou as motivações filantrópicas da elite norte-americana, não é útil, nem legítimo, tomar filantropia como uma construção cultural unificada. Existe uma gama de atitudes políticas, sociais e culturais relacionadas a ela que ultrapassam a diversidade da doação e do trabalho voluntário, muito freqüentes nos EUA e comumente caracterizadores da filantropia americana. Já no Brasil a filantropia — mesmo quando exercida em nome da ciência e de causas cívicas — freqüentemente esteve associada a uma moralidade religiosa e dirigida preferencialmente a ações e obras sociais voltadas para os pobres.

Se a distinção entre as práticas assistenciais, especialmente a filantropia e a caridade, não foi muito bem-sucedida no caso brasileiro, isso não se deve apenas à conotação religiosa, mas também ao reconhecimento da competência governamental ou privada para conduzir as ações sociais. Estado e Igreja atuaram de modo coeso, e, além disso, a filantropia como uma forma de intervenção de origem privada encontrou forte proximidade com as práticas de origem governamental.

A partir da década de 1990, as discussões em torno do terceiro setor e do que é de competência pública ou privada, propiciaram um debate acerca dos conteúdos e valores dessas práticas. De todo modo, considerando a história da intervenção social no Brasil como um híbrido de práticas distintas, a história da filantropia está aí contida, conformando e extraindo as devidas relações entre Estado e sociedade.

A assistência social no Brasil não se distingue inteiramente de outros países em um aspecto particular: a entrada do Estado em cena não significou a saída das iniciativas privadas. As diferenças parecem estar mais relacionadas ao tipo de Estado que passou a exercer a função de regulador das ações sociais e as influências de ordem valorativa que conduzem essas ações. A assistência social que se constituiu a partir do Estado Novo, de Getúlio Vargas, contou com uma forte herança de ações filantrópicas, que por sua vez permaneceram coexistindo após a criação de instituições públicas de cunho assistencial.

A relação estreita entre Estado e Igreja resultou na reprodução de um legado valorativo extremamente significativo e bastante influente a respeito das visões sobre a pobreza e a assistência. Diferente de outros países, em que a religião também influenciou os valores acerca da assistência aos pobres, a existência de uma sociedade civil freqüentemente "capturada" em seus projetos pelo poder dominante e a frágil e tardia constituição de um Estado que consolidasse a noção de direito fizeram com que a idéia de pobre como subalterno e de assistência como favor se tornassem tão fortes que resistiram de forma expressiva na cultura política do país até os dias atuais.

Uma herança dos primórdios do Brasil republicano que resiste ao tempo e às mudanças sociais é o que se denominou "política de clientela" ou "clientelismo". Dadas as razões de ordem política que o sustentam, é um dos fatores que mais comprometem a consolidação de uma cultura de cidadania nas relações entre os agentes envolvidos na intervenção social. A política de clientela associa-se a vários traços presentes nas relações de poder no Brasil, caracterizando hierarquias e relações de reciprocidade assimétricas. Entre os elementos que constituem o clientelismo no campo da assistência, destacam-se: a personalização das relações e, conseqüentemente, a expectativa de lealdade e de gratidão com o serviço recebido; a transformação do direito em vantagem ou favor; a permanência da assimetria (em termos de importância social) entre quem presta o serviço e quem o usufrui.

Um último aspecto a ser comentado acerca da herança republicana em termos das concepções e propostas para a intervenção social é a falta de sincronia entre a dimensão institucional e a consolidação de valores a ela referidos. Essa característica da cultura política brasileira é responsável pela apropriação parcializada e muitas vezes oportunista da idéia de cidadania. Não há a coincidência necessária entre direitos civis, políticos e sociais, nem mesmo a superação dos valores que operavam em outro registro que não o relacionado à noção de cidadania. A utilização desse termo como um enunciado auto-explicativo — sobretudo no discurso da filantropia empresarial — não revela a complexidade do fenômeno ainda em construção no Brasil, nem tampouco os condicionantes de ordem política e econômica para sua efetivação. No âmbito dos supostos direitos sociais concorrem agentes que não têm o mandato para assegurar tais direitos.

Diante do diagnóstico — apresentado como uma verdade inelutável — de que o Estado não é eficiente na gestão dos problemas sociais, assim como de que a atuação da sociedade, baseada na "boa vontade", também não gera resultados qualificados, abre-se uma vaga a ser ocupada por quem tem "competência técnica para gerir problemas". Isso significa introduzir uma lógica complementar, ou, para alguns, suplementar (sobretudo em relação ao método), para o enfrentamento dos males sociais. Em um cenário de crise de motivação para a vida pública, marcada por uma baixa credibilidade em relação às instituições sociais, o empresário aparece como o ator qualificado a instituir a lógica da eficiência e do jeito novo de "fazer o bem".

As novas configurações do social. Se inéditas ou reeditadas, as configurações contemporâneas da questão social são acompanhadas de propostas de intervenção com visões supostamente novas não apenas sobre pobreza, mas inclusive acerca do papel da sociedade e do Estado como seus agentes. Uma tendência que parece hegemônica nesse contexto de revisão das funções das instituições públicas e privadas é a que alguns autores chamam de refilantropização do social. A idéia de refilantropização faz referência a um movimento que sugere retrocesso na configuração política do campo assistencial — já que anula o direito, reeditando a idéia do benefício prestado por agentes altruístas —, embora também pudesse ser interpretada simplesmente como a hegemonia de um padrão assistencial que não se ausentou por completo do modelo em uso no Brasil.

É pertinente indicar que a crítica aos sistemas de proteção via Estado e a quebra do estatuto de cidadania não redundam em um único modelo da chamada refilantropização do social. É a partir da década de 1980, pródiga em manifestações da sociedade civil em múltiplas áreas de interesse, que se registra a criação de organizações não-governamentais voltadas para a intervenção social sobre novas bases. Inicialmente derivaram de movimentos sociais de base popular, como uma forma de enfrentamento político de um modelo de Estado seletivo, cujas decisões operavam em via de mão única.

Essa "novidade", ou seja, a entrada mais intensiva de instituições da sociedade em terreno controlado pelo Estado ou por instituições filantrópicas de cunho assistencialista, foi resultado de uma espécie de descompressão altamente produtiva. Nos anos 90, um verdadeiro fenômeno de iniciativas não-estatais produz forte impacto na vida política e social dos, até então, "assistidos". Os aspectos centrais dessa proposta de trabalho convergiram para a recuperação do conceito de cidadania aplicado a todas as classes sociais — em oposição ao de tutela, que abrangia apenas aqueles em situação considerada irregular, decorrente de sua origem social e de comportamentos tidos como desviantes — e a recusa do estigma que associa pobreza a marginalidade e perigo social; em suma, a efetivação do direito de cidadania política e social para segmentos não-incorporados. Portadoras de uma proposta mais "arejada" que buscava introduzir lógicas mais democráticas, tornando o usuário do serviço um participante ativo da proposta de trabalho, essas organizações marcaram um contraste com as antigas ações, fossem de cunho governamental, fossem as formas tradicionais de ação não-governamental.

Mais recentemente, as chamadas ONGs, em razão de sua multiplicidade e da dificuldade de manter a captação dos recursos privados, associam-se às prefeituras, por intermédio de "parcerias" para elaboração e execução de programas sociais. Essa associação supostamente favoreceu todos os implicados: o Estado, que passou a contar com instituições que demonstram fôlego e quase sempre maior conhecimento de causa; as organizações não-governamentais, que capitalizaram maior respaldo político e suporte material; e, por fim, a população usuária, que usufrui a ampliação e melhoria dos serviços. Em termos de interlocução política com o Estado, essa é uma conquista valorosa para a democratização das esferas de gestão e controle social, embora uma análise mais crítica aponte para o perigo da desresponsabilização do Estado como garantidor das políticas públicas. Ainda que a chamada "ofensiva neoliberal", que prevê a minimização do Estado, tenha contribuído para uma desconfiança das ONGs, seu potencial como partícipe da gestão/execução de políticas públicas parece inegável para este momento histórico no Brasil.

Fora do campo politizado das organizações não-governamentais, aparece um modelo que procura reunir as virtudes da competência técnica e a valorização da dimensão cívica, bem ao estilo da filantropia higienista do início do século XX. Esse modelo não pode ser entendido como uma mera reposição de práticas já existentes, em razão de todo um conjunto de mudanças caracterizadas pela combinação dos atores, sobretudo da elite dominante, e de suas alianças políticas; de conjuntura política e econômica; assim como do acúmulo de valores decorrentes da mobilização da sociedade no que diz respeito às políticas de enfrentamento da questão social.

Em análise acerca da degradação da sociedade salarial e da abolição do contrato de trabalho nos moldes que asseguravam um maior nível de segurança e de proteção, Robert Castel vai apontar a problemática da falta de lugar para determinados segmentos como o indicador das mudanças da questão social e das suas estratégias de intervenção. A falta de enquadramento ao trabalho produtivo, antes tratada como uma incapacidade pessoal ou mesmo um desajuste, não é sustentável — mesmo para os mais conservadores — com a mesma eloqüência que no passado. Trata-se de uma época de revisão dos conteúdos ideológicos que enaltecem as virtudes do mercado (cada vez mais seletivo) e da atitude paternalista do Estado. Essa revisão, porém, implica considerar os "sobrantes" — os que Castel chama de "inválidos pela conjuntura" — e sua presença cada vez mais expressiva e ameaçadora para a ordem social. Também implica reconhecer a assistência como finalidade em si. E, neste sentido, a participação da sociedade — através de ações filantrópicas de cunho cívico — parece ser oportuna e mais bem qualificada.

A filantropia empresarial, como uma proposta de intervenção social que conjuga a idéia de responsabilidade social com a crítica à ineficiência do Estado, se apresenta como protagonista de um novo modelo de intervenção. A constituição desse modelo e as referências que o orientam serão mais aprofundadas na seção seguinte.

Os empresários e o social

Antes de se caracterizar de forma endógena, a filantropia empresarial é referida, pelos seus integrantes, como uma das organizações do chamado "terceiro setor". Assim, combinada com outras (ONGs, partidos, movimentos sociais, instituições religiosas) e identificadas por algumas características comuns (sobretudo não serem Estado nem mercado), resultam nesse conjunto singular: o setor sem fins lucrativos. A referência mais recorrente de divulgação desse campo no Brasil é o trabalho de Rubem Cesar Fernandes intitulado *Privado porém público: O "terceiro setor" na América Latina*. Nesse livro, publicado em 1994, Rubem Cesar inaugura a discussão sobre o "terceiro setor" num patamar mais ampliado do que até então se dava, introduzindo-o no circuito acadêmico e qualificando-o com a denominação — que até hoje o distingue positivamente — de privado com fins públicos.

Apesar dos esforços de trabalhos como o de Rubem Cesar Fernandes, que não têm uma destinação restrita ao campo, a denominação "terceiro setor", já bastante disseminada na vida política e social do país, não encontra aceitação pacífica no ambiente acadêmico. As razões para tal desconfiança são variadas, e a alegada inconsistência conceitual talvez seja a principal. Apresentado como um "termo nativo", e abordado de forma quase publicitária por seus divulgadores, o debate sobre o "terceiro setor" pretende redimensionar conceitos — como os de sociedade civil e sociedade política — e ampliar o escopo das organizações portadoras de virtudes alheias ao Estado e ao mercado.

Além da objeção conceitual ao termo, o credenciamento das ações de responsabilidade social no suposto "terceiro setor" também não se dá sem problemas. Trata-se de uma desconfiança acerca da identidade entre tais ações e as demais organizações. Ainda identificadas com propósitos relativos ao mundo do mercado, são consideradas por alguns o "patinho feio" desse campo. A despeito disso, a participação empresarial possibilita fomentos em um expressivo número de organizações com capital e recursos administrativos escassos, além de projetar a visibilidade desse setor de forma muito mais expressiva que qualquer outro grupo nele representado. As premiações de iniciativas não-governamentais patrocinadas por empresas são exemplos fortes dessa estratégia de propaganda.

Embora já tenha sido indicado que o interesse dos empresários pelo social não é recente, o modelo contemporâneo da responsabilidade social introduz uma preocupação maior com ações integradas. A entrada desse setor num campo composto de diferentes projetos relacionados à intervenção social revela uma busca de identificação com determinados agentes e de distinção em relação a outros.

A prática da parceria se dá prioritariamente com instituições de maior legitimidade, não só pelo aspecto técnico mas também pelo político. Se a associação convém a ambos, as razões da conveniência são distintas. Um empresta a legitimidade ou o suporte institucional; o outro, os recursos e, na maioria dos casos, uma certa racionalidade para "solucionar" as questões da intervenção. Essa troca de "competências" não é livre de tensões e ambigüidades, já que não se trata necessariamente de uma convergência de projetos ou visões sobre o social, ou seja, cada qual pode participar da parceria com interesses e visões próprios.

A predominância de um estilo empresarial de pensar a lógica da intervenção tem se afirmado de diferentes modos, indicando mudanças no padrão de gestão, na relação com o poder público, na organização tanto das instituições privadas como das governamentais.

A despeito de um discurso entusiástico em relação ao fortalecimento do "terceiro setor" e da prática da parceria em seu interior, as associações não são aleatórias, ou exclusivamente baseadas nesse apelo. Para o empresariado, participar do campo da intervenção social com a bandeira da filantropia pode favorecer associações pouco desejadas. O lugar de destaque das ações sociais de cunho privado no Brasil foi historicamente ocupado pela Igreja ou por seus representantes laicos. Além disso, as práticas motivadas por razões espirituais foram freqüentemente permeadas por uma perspectiva paternalista, com a qual a lógica empresarial se relaciona de forma ambígua: ora reproduz, ora critica. Em função de uma certa desconfiança quanto à experiência religiosa no campo social, muitos integrantes da filantropia empresarial buscaram outras referências menos alusivas ao aspecto valorativo da religião. No debate teórico e político acerca da assistência, freqüentemente se atribui à filantropia um caráter amador e despolitizado, o que equivale a dizer que ela tem se afirmado como uma prática "alheia" às relações e vínculos sociais de seus promotores e beneficiários.

Para muitos integrantes do campo da filantropia empresarial, sejam eles empresários ou formuladores, o termo indica uma prática restrita e paternalista. Os quadros apresentados a partir da página seguinte indicam a importância de se demarcarem as diferenças entre as práticas. A necessidade de distinção entre as ações de responsabilidade social e as relacionadas à filantropia não resulta, em geral, de um problema de universo de abrangência, em que uma forma (responsabilidade social) contém outra (filantropia empresarial), mas de uma diferença conotativa, em que a responsabilidade social aparece como portadora de valores considerados mais consistentes e fomentadores de capital social. Se referida ao ambiente interno da empresa, reproduz o modelo de gestão protecionista, um tanto superado pelas políticas de flexibilização das relações contratuais, chegando a garantir estabilidade em tempos de franca expansão do trabalho temporário e do vínculo precário. Resta saber se, tal como nos países onde as pressões são mais fortes no sentido da preservação dos direitos, trata-se de resistência às precarizações do mundo do trabalho e às políticas denominadas neoliberais. Quanto ao ambiente externo, embora tímidas, as ações apontam para um investimento no sentido comunitário-territorial.

Quadro 1: Distinção das ações filantrópicas e de responsabilidade social

público-alvo	filantropia	responsabilidade social
funcionários	venda de produtos da empresa a preço de custo; auxílio na construção de casas próprias.	segurança do emprego (demissão zero); apoio a tratamentos de doenças relativamente graves excluídos do plano de saúde; não-utilização do trabalho infantil; a política de contratação que leva em conta a família do funcionário; apoio à recuperação de viciados em drogas ilícitas e álcool; bolsas de estudo para os ensinos médio, superior, cursos de aperfeiçoamento e especialização; criação de uma função responsável pelo bem-estar físico, emocional e espiritual do funcionário e sua família; projeto para construção de casas próprias.
comunidades	doações esporádicas de tintas, remédios e dinheiro; participação em campanhas de arrecadação de roupas e mantimentos.	contratações preferencialmente de moradores do distrito; patrocínio de time de futebol.

Outro quadro igualmente ilustrativo da necessidade de diferenciar os termos, reclamando práticas distintas, é o apresentado no relatório da pesquisa qualitativa sobre as empresas do Sudeste que investem em ações sociais. Mais do que representar "diferenças nítidas e atitudes necessaria-

Quadro 2: Distinção das ações filantrópicas e de responsabilidade

na filantropia	no compromisso social
as motivações são humanitárias	o sentimento é de responsabilidade
a participação é reativa e as ações, isoladas	a participação é pró-ativa e as ações, mais integradas
a relação com o público-alvo é de demandante/doador	a relação com o público-alvo é de parceria
a ação social decorre de uma opção pessoal dos dirigentes	a ação social é incorporada na cultura da empresa e envolve todos os colaboradores
os resultados resumem-se à gratificação pessoal de poder ajudar	os resultados são preestabelecidos e há preocupação com o cumprimento dos objetivos propostos
não há preocupação em associar a imagem da empresa à ação social	busca-se dar transparência à atuação e multiplicar as iniciativas sociais
não há preocupação em relacionar-se ao Estado	busca-se complementar a ação do estado, numa relação de parceria e controle

mente excludentes", como admite a autora, o quadro parece assumir uma postura propositiva em defesa da campanha pela responsabilidade social. Buscando contrastar-se a idéia de responsabilidade social com a filantropia, pretende opor-se a modelos tradicionais, muito próximos da referência religiosa, pessoalizada e assistemática.

Como se pode notar a partir desses exemplos, para fazer frente ao termo "filantropia", apela-se para outros que produzam maior aceitação na atual conjuntura. "Cidadania" é, como já foi indicado, o termo mais citado e sua incorporação aparece como uma senha ou código de adesão, que representa um ato de "consciência esclarecida" por parte dos empresários. O empresário-cidadão — bordão que identifica o empresário moderno, consciente, engajado na campanha pela responsabilidade social — é aquele capaz de fomentar a gestão eficiente, o cálculo do custo x benefício, a atenção com os resultados, associando todo esse expediente a determinados valores constituintes de uma vida social mais ativa e solidária. Esse conjunto de referências constitui um exemplar bastante ilustrativo do hibridismo entre as lógicas do mercado e da política.

Os termos evocam, por sua vez, um conteúdo que se pretende novo. Fora do campo religioso, a filantropia empresarial pretende trazer para a ação social referências de eficácia e eficiência não reconhecidas pela histórica atuação do Estado como o articulador oficial dessa esfera. Nessa crítica ao Estado mau-empreendedor, o discurso da cidadania empresarial acaba por ocultar a mais notável acepção de cidadania no mundo moderno, garantida pelo Estado através de leis e de institutos capazes de assegurar seu cumprimento.

As origens e o debate em torno da campanha pela responsabilidade social das empresas. O modelo norte-americano tem uma clara influência na constituição da campanha social no Brasil, o que pode ser observado através da literatura de referência para os principais trabalhos de divulgação. A produção teórica sobre o tema no Brasil é ainda incipiente e pouco crítica.

É relevante indicar que os Estados Unidos são referência no mundo da filantropia e que sua prática — mais ampla e variada do que a dimensão estritamente corporativa — é relacionada a uma tradição cultural baseada no individualismo e na iniciativa privada, combinada a um descrédito no poder governamental. Deriva de uma herança protestante, favorecedora do "espírito do capitalismo", cuja força é revelada pela atitude puritana de um dos filantropos pioneiros, William Penn (1644-1718): "O melhor passatempo é fazer o bem." Embora o apelo ao compromisso social fosse um valor indiscriminado na sociedade americana, a questão especificamente voltada para as empresas foi difundida a partir da publicação do livro *Responsabilities of the Businessman*, de Howard Bowen, em 1953, coincidindo e rivalizando com a presença marcante do Estado em países regidos pelo sistema do bem-estar social. A partir daí, as obras de divulgação sobre o compromisso social das empresas são, nos EUA, incontáveis, constituindo uma cultura de enaltecimento da função social para além dos valores de mercado.

Outra vertente da responsabilidade social, inspirada nos países que implantaram modelos mais abrangentes de proteção social (tais como Itália, Suécia e Inglaterra), embora não seja aqui referida como a que influencia a experiência brasileira, merece ser mencionada como contraponto ao modelo norte-americano. O fortalecimento da responsabilidade social das empresas nesses países parece estar mais estreitamente relacionado à participação empresarial em ações de reforço à cidadania. A ampliação de garantias trabalhistas, a participação dos trabalhadores na gestão empresarial, a adesão às campanhas de interesse social e impacto ambiental, a transparência dos investimentos via balanço social são algumas das ações que orientam a agenda da responsabilidade corporativa nesses países. Um debate sobre a administração de pessoal na Europa aponta para a necessidade de humanizar e sobretudo personalizar essa gestão nas empresas. Um exemplo interessante é trazido pelas experiências de empresas denominadas "amigas da família". Em linhas gerais, tais empresas confirmam, complementam e freqüentemente alargam as políticas sociais garantidas por lei, tais como: licença parental, licença por razões familiares, serviço de guarda subsidiado, redução da jornada de trabalho para famílias com crianças até oito anos, prioridade para recrutamento de mulheres bem como destinação de postos de chefia.

A denominação "amigas da família" sugere um padrão possivelmente diferenciado assumido pelas empresas perante uma sociedade regulada por um sistema de proteção social. Em tais sociedades, a idéia de cidadania implica tomar serviços sociais como direitos, e a presença das empresas nesse campo das responsabilidades assume uma conotação mais politizadora e integrada aos acordos sociais mais amplos. Não se trata, contudo, de sugerir que tais empresas se mantenham infensas às mudanças tecnológicas que impõem novos padrões de contratação, estabelecendo relações de trabalho flexíveis e ameaçadoras ao modelo de proteção da "sociedade salarial"; o que se procura evidenciar aqui são justamente as diferenças de contexto e de interpelação com as forças sociais.

A remissão recorrente à responsabilidade social e a busca de fortalecer o senso de dever cívico, no âmbito empresarial, traduzem-se na ampliação da função social das empresas para além da dimensão produtiva. A referência ao público-alvo interno e externo reproduz, no dialeto da responsabilidade social, mais um dos inúmeros anglicismos utilizados na linguagem empresarial: *stakeholders*. O termo denomina os grupos de interesse envolvidos na lógica empresarial, que engloba desde os funcionários ao governo, concorrentes, fornecedores, passando certamente pelos clientes, acionistas e também pela comunidade ligada àquela unidade de produção. A atitude empresarial no sentido da responsabilidade social implica uma prestação de contas permanente em relação aos chamados *stakeholders*.

O debate sobre a responsabilidade social corporativa tem movimentado argumentos ao mesmo tempo incisivos e controversos. Os defensores, que não podem ser caracterizados como um grupo homogêneo, valorizam a idéia como uma saída para diversos males que afetam a sociedade ocidental contemporânea: gastos sociais altos e ineficientes, crise de confiança nas instituições públicas, apatia e falta de solidariedade social, importância de redefinir a função social das empresas e do papel do mercado, entre outras.

Os refratários a essa campanha são também diferenciados entre si. Dentre eles estão os que não vêem nela mais do que um recurso de propaganda ideológica para atenuar a visão do mercado como o mundo do auto-interesse, ao pretender reconfigurar as funções que as empresas deveriam exercer além da busca do lucro (entendido como fim último). É, portanto, uma crítica de oposição ao que se considera um disfarce, uma medida que termina por esvaziar a figura do Estado como regulador das questões sociais. Outro segmento é aquele que, precisamente sem disfarces, afirma a incongruência de tomar o mundo dos negócios fora do interesse estrito do lucro e da competitividade.

Além de intelectuais ativistas de cunho neoliberal, como Milton Friedman, que defendem a não-hostilidade ao lucro, já que é ele que favorece a participação das empresas no desenvolvimento socioeconômico, outros críticos menos peremptórios em relação às virtudes do mercado apontam objeções ou contra-argumentos à idéia da responsabilidade social.

A principal objeção dos considerados "adversários da doutrina da responsabilidade social" é quanto a se tomarem as corporações empresariais como instituições com fins definidos por uma moralidade além da que figura no mundo dos negócios. Em uma empresa capitalista, produtividade, competitividade e eficiência são meios para a obtenção do lucro, que é sua finalidade principal. Acrescentar injunções éticas a essa finalidade (fora as já definidas pela relação com o consumidor e normatizadas por leis) pode, em diferentes situações, comprometê-la ou mesmo inviabilizá-la. Além da atitude cética em relação à capacidade de o mercado fomentar comportamentos altruístas, um dos argumentos fortes utilizados pelos críticos é que não cabe às empresas decidirem o que é de interesse público. Essa seria uma tarefa para a política. Na verdade, não se trata de uma oposição prévia contra a idéia da responsabilidade social, mas da incompatibilidade entre negócio e altruísmo. Resistir ao "canto da sereia" não implica que as empresas devam agir de forma irresponsável, mas para seus opositores o perigo dessa "nova" concepção é que ela tem mais implicações do que simplesmente evitar atividades ilegais ou antiéticas.

É comum ouvir de críticos o argumento de que se as empresas cumprissem as leis trabalhistas e seus compromissos com o Estado já estariam desempenhando bem sua responsabilidade. Assim como em outros países, aqui também encontram-se resistências próprias de quem não enxerga a função empresarial aliada a uma possível incorporação de valores fora do interesse econômico. Para outros "adversários", o problema está em usar a campanha da responsabilidade social apenas como retórica para promover socialmente as empresas. Para estes, o argumento da responsabilidade tem exclusivamente uma função de marketing, ou seja, de agregar valor à imagem da empresa amenizando ou secundarizando a dimensão do interesse econômico.

A ampliação das atividades empresariais para o campo social como estratégia de marketing é oportuna para quem a pratica, pois focaliza dois problemas que mobilizam o debate político: a discussão sobre as funções e o desempenho do Estado e as ações de enfrentamento a temas de interesse social (pobreza, ambientalismo, políticas afirmativas em relação às mulheres, negros, homossexuais, portadores de necessidades especiais). Por isso a associação entre a marca e a ação social desenvolvida por uma empresa tem se mostrado uma estratégia de mercado muito eficaz para influenciar a escolha e a fidelidade a um produto. Este se torna mais atraente, pois soma aos seus atributos de mercado (qualidade, preço, originalidade) um conteúdo valorativo que favorece a imagem da empresa, além de funcionar como um apelo de mobilização ao consumo mais seletivo e qualificado. Se a adesão a uma campanha social estiver associada à satisfação de uma necessidade de consumo, o custo de participação é baixo e altamente compensador. É uma lógica de envolvimento à distância que, sem onerar os colaboradores, os credencia como cidadãos conscientes, solidários, participantes.

Para os que defendem o marketing social, a associação entre o negócio e a atividade social decorre de uma exigência de mercado: os consumidores estão mais exigentes em relação ao produto que adquirem. Em pesquisas realizadas por institutos americanos, os cidadãos entrevistados comprovaram a eficácia dessa campanha ao alegar a preferência por produtos não apenas dotados de preços e qualidade competitivos, mas também estivessem envolvidos com algum tipo de ação social.

Outro aspecto relevante que mobiliza o debate e que está diretamente relacionado à polaridade entre Estado e mercado é o problema da eficácia da gestão social. Aqui há uma certa divisão entre os defensores e os críticos à responsabilidade social corporativa. Enquanto alguns defendem o *know-how* empresarial como garantia de eficiência e por isso acabam incorporando a crítica sobre a incapacidade de o Estado agir de forma eficaz, outros argumentam que esse conhecimento não se aplica a atividades fora do mundo dos negócios. O problema da competência técnica também mobiliza argumentos de outro campo crítico, o da corporação dos profissionais mais tradicionais da área social. Para além da demarcação corporativa, o problema para esses profissionais é compatibilizar a lógica de obtenção de resultados — própria do mercado — com o campo social.

A importação de um modelo tecnocrático de planejamento e intervenção no campo social visando a potencializar sua eficiência é um dos principais pontos da agenda da gestão pública nos dias atuais. Mesmo encampando parte das conquistas democráticas por maior participação e visibilidade na gestão social, a concepção tecnocrática favorece uma participação do Estado como gerente e não como promotor de políticas públicas. Além disso, nesse modelo de planejamento as etapas do trabalho social são antecipadas de tal modo que constituem um fluxo previsível de ações controladas de forma absolutamente técnica, como se o social fosse um objeto de intervenção rígido, isolado ou neutralizável.

Assim como o problema da competência, o da legitimidade também se impõe para os que pretendem criticar o investimento dos empresários, seja como operadores diretos ou como financiadores, em ações sociais. A resistência está em delegar à empresa a tarefa de identificar o que constitui interesse social, definir prioridades e resolver qual o montante de recursos a ser aplicado nesse ou naquele setor, considerando, sobretudo, que suas ações serão orientadas pela lógica da otimização e do interesse econômico.

Finalmente, outro problema é o do *accountability*, ou seja, a capacidade de prestação de contas aos grupos interessados na proposta assumida pelas empresas e o poder de interferência desses grupos nos resultados obtidos.

Esses são alguns aspectos gerais do debate sobre a responsabilidade social das empresas, que não se restringe ao caso brasileiro. A implantação da campanha no Brasil, porém, não reproduz inteiramente os temas presentes em outros contextos sociais, o que será discutido a seguir.

A campanha pela responsabilidade social das empresas no Brasil

A emergência da responsabilidade corporativa no Brasil, segundo um formato mais institucionalizado, se dá em meados da década de 1980, a partir de estratégias variadas. São Paulo precede outras cidades na difusão da campanha ao abrigar três iniciativas que foram destacadas como referências de fundação: o prêmio ECO (organizado pela Câmara Americana de Comércio), o Pensamento Nacional das Bases Empresariais (PNBE) e o Grupo de Institutos e Fundações Empresariais (Gife).

A origem das premiações da filantropia empresarial. O Prêmio ECO foi o primeiro evento de divulgação da filantropia empresarial no país. O exame das premiações concedidas no campo empresarial contribuiu imensamente para o estudo dessas atividades. Diversos aspectos relacionados à natureza das ações podem ser percebidos: as principais áreas de investimento, o perfil das empresas, o montante de recursos empregados, os objetivos, a duração das ações. Além disso, é uma forma muito reveladora de captar o discurso do empresariado no campo social, manifesto no seu credenciamento para as premiações e na divulgação dos resultados.

O ECO é um tipo peculiar de competição em que simplesmente a participação no processo é vantajosa, já que permite que as empresas divulguem seus programas e, conseqüentemente, sua marca. A importância desse modelo é tão grande que inúmeras outras iniciativas nele se inspiraram.

Atualmente há várias modalidades de premiação envolvendo empresas, seja como promotoras e/ou como candidatas. Empresas destacando outras empresas (Prêmio ECO, da imprensa especializada em temas econômicos), lógicas empresariais valorizando iniciativas da sociedade civil (Prêmio Bem Eficiente) e acadêmicas (Prêmio Ethos-Valor), empresas promovendo ações governamentais (Prêmio Prefeito Cidadão) e organizações não-governamentais reconhecendo o valor social das empresas (Selo Balanço Social Ibase/Betinho) são alguns dos exemplos que indicam uma proliferação bastante diversificada de iniciativas de valorização e de divulgação das atividades sociais. Estas são reconhecidas, pelos premiadores, como manifestações de amadurecimento e de consciência cívica.

Além da publicidade positiva que as premiações representam, há outro componente significativo por elas difundido: um modelo determinado de avaliação das ações sociais, inspirado em sistemas de classificação de qualidade adotados pelas empresas. É a transposição dos métodos que orientam o mercado para o âmbito social: relação ótima entre investimento e resultado. Essa concepção é fortemente informada pela crença na ineficiência do gerenciamento social por parte do Estado e das entidades filantrópicas tradicionais. O modelo de ação social caracterizado pelo formato empresarial tem se tornado paradigmático para outras instituições não-empresariais, bem como tem fomentado lógicas de competição e busca de destaque baseadas em critérios antes inexistentes.

O Prêmio ECO foi criado pela Câmara Americana de Comércio de São Paulo e sua primeira edição foi em 1982, com 38 empresas concorrentes. Desde então, o evento de premiação ocorre sistematicamente, contando com um júri específico para cada modalidade de atuação empresarial na área social, em geral as seguintes: saúde, participação comunitária, educação, conservação/educação ambiental e cultura. A escolha do júri nem sempre esteve relacionada à sua área de formação profissional. Até 1994 a predominância dos jurados se concentrou na área de jornalismo e do setor empresarial, atendendo a critérios mais relacionados ao prestígio e à projeção política que os convidados pudessem conferir aos eventos de premiação. A partir daquele ano, os projetos começam a ser avaliados por profissionais específicos de cada área, introduzindo o critério da avaliação quanto ao mérito, valor importante para o ideário liberal e para garantir a escolha por razões técnicas. Os programas vencedores recebem um troféu simbólico, sem qualquer importância em dinheiro, confirmando o propósito de uma iniciativa sem fins lucrativos.

Finalmente, outro aspecto a ser comentado em relação ao Prêmio ECO é relacionado à sua "paternidade". As Câmaras Americanas de Comércio representam uma forma de associação empresarial com o objetivo de estreitar relações políticas e econômicas entre os Estados Unidos e os demais países. A Câmara de São Paulo é a segunda maior do mundo e sua proposta é promover a "cidadania empresarial". As premiações organizadas pela Câmara têm o claro propósito de fomentar novas ações e possivelmente influenciar sua lógica segundo o modelo americano da *corporate phylanthropy*. Assim, o ECO não teve, exclusivamente, um efeito de confirmação do fenômeno, mas de constituição do campo, tornando públicas as iniciativas em curso, incentivando novas e formatando as exigências para um processo de competição, cuja lógica procurava associar a competência do mercado ao engajamento político da sociedade civil.

O pensamento crítico das bases empresariais. Assim como a instituição de prêmios, outra referência necessária para caracterizar a origem da "filantropia empresarial" no Brasil foi a constituição de um grupo, em 1987, denominado Pensamento Nacional das Bases Empresariais. Segundo suas lideranças, a organização do grupo se deveu, em grande medida, à insatisfação política em relação à sua representação de classe — a Fiesp (Federação das Indústrias do Estado de São Paulo). O repertório das questões que os identificaram, apresentadas a seguir, indicava a construção de um novo modelo de empresário, bastante identificado com o personagem que, mais tarde, integraria a campanha pela responsabilidade social. Foram essas as questões: "Aprofundamento da democracia em todas as instâncias do país; economia de mercado, combatendo abusos de poder econômico; melhor distribuição da renda; exercício da cidadania; opção pela negociação como sendo o melhor processo para a resolução dos conflitos; aceitação da diversidade como elemento enriquecedor dos processos e defesa do patrimônio material e humano do país."

O PNBE assumiu postura extremamente ativa na economia, que se traduziu não somente no acompanhamento crítico das medidas que o governo implementava, mas também na apresentação de propostas construídas a partir de estudos feitos em outros países que encontraram saídas bem-sucedidas para períodos de crise econômica. Além dessa participação como ator econômico interessado, o PNBE institucionalizou a idéia do engajamento cívico no meio empresarial. Os mundos da produção e da política se fundiram num discurso que se pretendia novo e progressista. Uma das manifestações dessa síntese foi a politização de temas de interesse social, definidos como pauta prioritária da atenção empresarial.

A participação política do PNBE foi muito expressiva no início da década de 1990. As investigações sobre corrupção no governo envolvendo empreiteiras, que derivaram na CPI do Orçamento, contaram com forte pressão desse segmento do empresariado, motivado pelo que chamava de "bandeira da ética e da moralidade pública". Esse movimento marcou a ruptura com um certo padrão de favorecimento na relação entre o empresariado e o Estado.

A constituição do Gife. O Grupo de Institutos, Fundações e Empresas (Gife), consolida, em 1995, a terceira referência central para a constituição da responsabilidade corporativa. A importância do Gife está em sua dimensão associativa e, como tal, demarcadora do campo, na medida em que agregou as organizações empresariais que se destacaram por razões de natureza ética. Iniciativas até então isoladas, sem parâmetros comparativos e sem estratégias eficazes de divulgação de resultados sofreram mudanças com a criação de uma entidade representativa, cujo propósito era aperfeiçoar e difundir os conceitos e práticas relacionados à responsabilidade social das empresas. A partir da constituição do Gife, houve maior incremento das iniciativas empresariais no âmbito social, assim como uma certa influência no formato e na gestão dos programas sociais. Sem dúvida, para o que antes se caracterizava como um movimento, o Gife representou um nível de maior institucionalização e qualificação. Ser associado a esse grupo passou a representar uma condição mais bem definida no campo da responsabilidade corporativa.

Essas iniciativas mencionadas estão sintetizadas no quadro seguinte.

Quadro 3: Constituição do campo da responsabilidade social das empresas no Brasil

iniciativas	ano	impacto sobre o campo	referências valorativas
Prêmio ECO	1982	inaugura o sistema de premiação; instala a competição pelas melhores iniciativas de investimento social; instala a idéia do selo de qualidade pelo trabalho social; sugere uma configuração para os programas sociais empresariais; divulga os programas sociais empresariais; difunde a importância da avaliação do desempenho de programas sociais segundo critérios técnicos.	processo de conscientização de empresas e consumidores sobre responsabilidade social corporativa.
Pensamento Nacional das Bases Empresariais (PNBE)	1987	engajamento político dos empresários; reação aos esquemas corporativos de representação.	aprofundamento da democracia; economia de mercado; melhor distribuição da renda; exercício da cidadania; aceitação da diversidade; defesa do patrimônio material e humano.

Grupo de Institutos, Fundações e Empresas (Gife)	1995	dimensão associativa; organização representativa fora da caracterização de entidade de classe; fortalecimento da idéia de "terceiro setor"; incremento às iniciativas empresariais na área social.	promoção do desenvolvimento sustentável no Brasil; cidadania participativa; dignidade do homem e sua primazia sobre todos os outros valores de ordem material; consciência da responsabilidade e reciprocidade para com a sociedade.

É significativo enfatizar a centralidade que São Paulo vai assumir desse então. Do total de organizações relacionadas à "filantropia empresarial" no Brasil, a concentração na região Sudeste abrange quase a totalidade em praticamente todos os registros de consulta, e o contingente em São Paulo é sempre maior que a metade dos casos da região. Embora se possa explicar essa concentração por motivos estritamente empresariais, dada a importância territorial de São Paulo no setor comercial, financeiro e industrial, a tendência não se refere exclusivamente ao campo empresarial, mas às instituições filantrópicas de modo geral. A "filantropia empresarial", por sua vez, replica essa tendência, valorizando, ainda mais, a centralidade da região Sudeste e confirmando o estado de São Paulo na liderança do campo.

Tendências predominantes na campanha brasileira. Uma década depois de sua constituição no Brasil, a campanha pela responsabilidade social ainda é motivada por diferentes propósitos, nem sempre coincidentes. A variedade de concepções sobre o tema encontra campo em diferentes organizações de representação, mas é o Instituto Ethos de Empresas e Responsabilidade Social a instituição que parece melhor agregar e difundir a campanha na sua proposta genérica de "promover a disseminação e discussão acerca de questões relacionadas à gestão socialmente responsável". Fundado em 22 de novembro de 1999, o Instituto Ethos aglutinava, no fim de 2003, cerca de 800 empresas, com a proposta de constituir uma vanguarda no campo empresarial a partir da idéia da responsabilidade social.

As atividades do Instituto são basicamente de natureza mobilizatória. O argumento da responsabilidade social é a referência permanente para suas discussões. Atento aos espaços de formação de opinião, o Instituto Ethos investe em campanhas publicitárias com um direcionamento duplo: mobilização do campo empresarial e divulgação para os leitores/espectadores dos veículos de propaganda. Outras estratégias relevantes de disseminação da idéia de responsabilidade social são as aproximações com o meio político e com a comunidade acadêmica. No primeiro caso, o Instituto se comporta como o PNBE, ao interferir em projetos sociais apresentando o empresário como um ator político responsável. No segundo caso, a proximidade com a universidade — através principalmente dos cursos de administração e de marketing — tem o claro propósito de incentivar a produção de conhecimento nessa área, além de fortalecer e divulgar a campanha de forma mais qualificada.

Embora o Instituto Ethos tenha produzido um conjunto de indicadores de responsabilidade social como forma de pautar as ações na área, não há como equalizar tais ações. Além das diferenças em relação à própria concepção de responsabilidade social, há formas diferenciadas de implementá-la. Por exemplo, uma mudança de postura em relação à prática do tabagismo no ambiente produtivo pode ser considerada uma ação de responsabilidade social. As empresas responsáveis nem sempre realizam atividades práticas no campo social, como outras instituições tradicionais da filantropia. Quando escolhem investir em programas externos, podem funcionar como doadoras ou contribuintes de instituições denominadas parceiras, através de projetos sociais de seu interesse.

Embora seja uma característica mais presente nas iniciativas pioneiras da filantropia empresarial, o modelo baseado em doações segue a tradição americana da *corporate phylanthropy* e indica um padrão peculiar de envolvimento à distância com relação aos programas sociais. As empresas escolhem suas instituições parceiras, agregam ao seu nome um conjunto de atributos relacionados aos projetos, ao público envolvido e, em alguns casos, à instituição operadora, e não precisam instituir mudanças significativas em sua organização, como instalação e contratação de pessoal para a linha de frente dos programas.

O perfil de quem compõe a gerência dos programas de filantropia empresarial atende ao que se pode chamar de "gestão de resultados", caracterizada pela preocupação com o retorno do investimento, pela utilização de padrões de planejamento e avaliação próprios do mundo empresarial e finalmente pelo marketing das ações e de seu desempenho. Os profissionais são predominantemente das áreas de administração, comunicação e marketing, o que caracteriza uma novidade no campo da intervenção social, tradicionalmente ocupado por profissionais com formação mais relacionada às disciplinas das chamadas ciências humanas. A tendência de incorporação de novos profissionais evidencia, portanto, a importância do "social" como mercado de trabalho nem tanto em expansão, mas certamente em reorientação quanto à direção política dada pelas disciplinas mais tradicionais. Ainda em relação ao caráter de instituição doadora, os novos profissionais da área adaptam-se mais facilmente às funções de supervisão à distância, em que as tarefas pedagógicas da intervenção direta são dispensadas.

É preciso, contudo, indicar que a falta de operação direta não exclui o controle, por parte dos financiadores, da gestão dos recursos. O próprio processo de escolha dos programas e seu conseqüente financiamento são usualmente orientados pela área de interesse das empresas. As estratégias de atuação e a avaliação dos resultados também são influenciadas, de forma significativa, pelos critérios de eficiência da gestão empresarial.

O fenômeno da parceria, derivado da associação entre a organização empresarial doadora e a organização operadora, foi responsável pela sobrevivência de inúmeras ONGs na fase em que as redes de solidariedade internacional deixaram de priorizar os investimentos em programas sociais no Brasil. As parcerias mais freqüentes das instituições doadoras, denominadas *grantmakers*, são ONGs ou organizações de apoio técnico sem fins lucrativos, sendo o tipo de organização escolhida como parceira uma indicação notável da identidade e das prioridades de tais instituições.

A participação do Estado na estratégia das parcerias também foi expressiva, nem tanto pela transferência da responsabilidade do financiamento para a iniciativa privada, mas sobretudo pela valorização das iniciativas do "terceiro setor" — de que a Comunidade Solidária foi a principal porta-voz — e pela campanha de responsabilização empresarial junto aos programas desenvolvidos pelos estados e municípios. Outra tendência recente na relação entre Estado e organizações não-governamentais que se apresenta sob o disfarce da "parceria" é a estratégia da terceirização dos serviços. O interesse por parte do Estado nesse tipo de associação é claramente diminuir custos de gestão dos serviços ou, em casos isolados, favorecer instituições numa lógica de clientela, bem própria da cultura política institucional brasileira.

As áreas de atuação da filantropia empresarial refletem em que setor social o interesse do campo se dá e, em muitos casos, revelam o projeto político que orienta tal interesse. É o caso, por exemplo, da predominância dos investimentos na área da educação ou em projetos cujo público alvo são crianças e jovens. Apostar em tais projetos, ou mesmo utilizar a imagem de crianças como símbolos do interesse empresarial são amplamente usados e comprovadamente um excelente recurso de marketing. Crianças e jovens são elementos fortes de mobilização social, e os setores de marketing das empresas sabem disso.

O marketing em torno do social ou "de como fazer o bem com ostentação"

O marketing é um componente necessário — em determinados casos, suficiente — da campanha pela responsabilidade social. É reconhecido como a estratégia cada vez mais utilizada para a sobrevivência das empresas em ambientes competitivos e altamente hierarquizados por preferências. Segundo os especialistas no tema, há que se considerar uma diversidade de aplicações do marketing, sobretudo em relação às flutuações do mercado consumidor. Sua história está, portanto, inteiramente associada à expansão do capitalismo e às variações em termos da produção de mercadorias e seu emprego. Embora usado de forma diferenciada, tem cumprido um papel significativo ao solidificar a imagem do produto ou do processo produtivo. Com a consolidação de um novo padrão de consumo e de interação com as mudanças tecnológicas, a marca passou a ser necessária como demarcador de fronteira e de pertencimento. O produto perdeu importância para a marca, e é ela que define, na contemporaneidade, as estratégias de marketing. Diante de um modo de produção altamente fragmentado e internacionalizado e de um mercado consumidor globalizado, a finalidade do marketing passa a ser construir e fortalecer as marcas não em torno de produtos, mas de uma reputação. É o que os profissionais da área chamam de "marcas de atributo", ou seja, marcas que não se referem diretamente a um produto, mas a um conjunto de valores.

A tradição da *corporate phylanthropy*, que associa lucro à idéia de responsabilidade social, inaugurou uma nova modalidade de marketing relacionado à marca, procurando combinar interesses privados e valores coletivos. Segundo os ideólogos do marketing social, o envolvimento entre a marca e a causa social decorre de uma lei de mercado: os consumidores "evoluíram" de um padrão de exigência em relação ao produto que consomem. Essa evolução obedece a uma escala conhecida por Hierarquia das Necessidades de Maslow. A.H. Maslow, em 1940, criou uma pirâmide representando uma escala de necessidades às quais os indivíduos, progressivamente, estariam submetidos. Segundo sua análise, à medida que as necessidades de subsistência fossem alcançadas, os indivíduos buscariam atender outras necessidades, mais superiores, visando pertencimento e auto-realização, e as empresas deveriam estar atentas para a mudança do padrão de exigência de seus consumidores.

A idéia de bens posicionais, desenvolvida pelo economista Fred Hirsch em 1976, pode explicar, de forma mais adequada à lógica capitalista, essa hierarquia de necessidades. Segundo Hirsch os indivíduos se distinguem socialmente através da produção de necessidades num sistema em que "mais riqueza do tipo alcançável por todos significa, paradoxalmente, maior disputa pelo tipo de riqueza só alcançável por alguns". Os bens posicionais são exatamente os que viabilizam a distinção social dos que os possuem em relação àqueles outros extratos que ainda não satisfizeram a procura de bens materiais. A promoção ou adesão a programas sociais pode ser um incremento, uma forma de bem posicional para quem já se diferencia por outros valores relacionados ao consumo. Em entrevista a uma das revistas que exploram a vida dos famosos, uma socialite informa que nada se compara a chegar a seu programa social e ouvir várias crianças gritarem seu nome em coro. Isso a faz diferente entre os ricos.

Outro aspecto pouco explorado pela literatura de divulgação do marketing social aponta para a perspectiva dos consumidores e, portanto, está relacionado a uma visão mais política de sua participação na lógica do mercado. No Brasil o movimento de consumidores, que se constituiu originalmente através da luta contra a carestia ainda nos anos finais da década de 1970, foi o embrião de uma consciência mais sólida em relação ao direito do consumidor. A lei federal de 11 de julho de 1990 — que promulgou o Código do Consumidor e instituiu o Procon e os Juizados Especiais Cíveis (popularmente conhecidos como Juizados de Pequenas Causas), regulados pela lei 9.099 de 26 de julho de 1995 — consagra um novo padrão de relacionamento entre empresa e consumidor e obriga a prática de uma certa responsabilidade social por parte das empresas em relação a esse consumidor cidadão.

A constituição de uma opinião pública informada e disposta a brigar por direitos resultou em canais mais diretos para a expressão do consumidor. A mudança na mentalidade empresarial está muito ligada à mudança no padrão de exigência do consumidor.

Parece inegável, nessa lógica de permanente atração para o consumidor potencial, que a opção por uma causa de interesse social amplia enormemente o poder de convencimento e de aceitação do produto e das condições referidas à lógica do mercado. Além disso, cria padrões de relacionamento intra-empresa (ambiente produtivo) e extra-empresa (fornecedores, órgãos do governo) mais favoráveis à lucratividade.

A divulgação das ações empresariais no campo social tem sido feita em larga escala, objetivando diferentes públicos. As corporações que aderiram à campanha pela responsabilidade social utilizam a televisão ou a imprensa escrita nem tanto para divulgar suas ações, mas para publicizar sua participação na campanha pela responsabilidade social.

A publicidade feita na mídia — salvo os casos de balanço social que, em geral, são publicados em jornais de economia e atingem um público especializado — destina-se a um público de classe média, consumidor potencial das marcas em questão. Já com referência aos eventos de mobilização e à Internet, ambos, em diferentes graus, objetivam um público mais seletivo, mais relacionado ao próprio meio empresarial. A repercussão de eventos de premiação da responsabilidade corporativa ou encontros e seminários sobre o tema é, sem dúvida, expressiva como efeito secundário, mas o poder maior desses eventos é sua estratégia de fortalecer a própria campanha. A utilização do meio eletrônico como forma de contato institucional é cada vez mais difundida, o que pode agilizar a comunicação, mas impede o contato físico com as instalações e os indivíduos envolvidos.

Outra estratégia de divulgação relevante e mais qualificada é a publicação do balanço social das empresas, tornando transparente o montante e a destinação dos recursos aplicados. A iniciativa de incentivar a divulgação desses balanços, no caso brasileiro, contou com forte empenho de organizações não-governamentais. O Instituto Brasileiro de Análises Sociais e Econômicas (Ibase), organização não-governamental que se notabilizou pela figura carismática do seu fundador, Betinho, inaugurou a campanha de mobilização da classe empresarial para a divulgação de seus balanços sociais, instrumentalizando-as, inclusive, com uma sugestão de formulário e conferindo àquelas que aderissem à campanha um selo que funcionou como uma espécie de distintivo para caracterizar o empenho e a responsabilidade social da empresa.

De todos os instrumentos utilizados pela campanha, o balanço social é o que mais amplamente procura atender aos critérios de transparência e controle social, mesmo considerando que o processo de prestação de contas de uma empresa privada não se dá a partir dos mesmos mecanismos de participação de uma empresa que movimenta recursos públicos.

Embora tenha sido idealizado nos Estados Unidos, a França foi pioneira na criação de uma lei sobre o balanço social, em julho de 1977. Esta lei funciona como um incentivo à prestação de contas e favorece uma maior legitimação social das empresas. Reflete também uma sociedade mais mobilizada e atuante na perspectiva do controle social do Estado e das instituições privadas. No Brasil, contudo, as iniciativas de publicização do balanço social das empresas ainda são tímidas se comparadas com as de outros países que já possuem regulamentação a esse respeito. Entretanto, enquanto tramita no Congresso Nacional o projeto de lei nº 3.116/97, regulamentando e dispondo sobre a obrigatoriedade do balanço social, inúmeras campanhas de divulgação e mobilização do setor empresarial já são observadas.

A valorização do balanço social como forma de gestão transparente tem sido cada vez mais freqüente. Após a iniciativa de criação do selo pelo Ibase, inúmeras outras iniciativas deram continuidade e amplitude à proposta. A mais significativa, embora circunscrita a São Paulo, foi o Selo Empresa Cidadã, criado em 1998 pela então vereadora Aldaíza Sposati. A elaboração do modelo de balanço social utilizado na premiação contou com a participação de inúmeras instituições da sociedade civil, de bases diferenciadas. Os principais indicadores adotados referiam-se tanto à dimensão produtiva e suas conseqüências quanto às ações externas, não necessariamente ligadas ao negócio da empresa. Com isso, os campos de ação sugeridos foram os relacionados ao meio ambiente, ao ambiente de trabalho, ao ambiente social e qualidade de vida, ao ambiente urbano, à qualidade dos produtos e serviços, ao desenvolvimento de direitos humanos e, finalmente, à difusão de condutas de responsabilidade social. Em estudo realizado a partir de uma amostra com 32 empresas, Paulo Rogério Lima analisa as informações apresentadas nesse modelo de balanço social, como vemos no quadro abaixo.

Quadro 4: Áreas de investimento das empresas premiadas pelo Selo Empresa Cidadã – 2001

CAMPOS DE AÇÃO	% que investem
ações no ambiente de trabalho	100
ações para a qualidade dos produtos e serviços	81
ações no meio ambiente	77
ações no ambiente social e qualidade de vida (na vizinhança da empresa)	60
ações no ambiente social e qualidade de vida (no município)	57
ações para a difusão de condutas de responsabilidade social	56
ações para o desenvolvimento dos direitos humanos	53
ações no ambiente social e qualidade de vida (em outros municípios)	50
ações no ambiente urbano	47

A predominância de ações no ambiente de trabalho é uma tendência significativa que pode indicar a compreensão de que o exercício da responsabilidade social começa "em casa". Segundo essa perspectiva, tal conduta bem aplicada é a que diz respeito às ações que se pode esperar que sejam cumpridas, por estarem mais relacionadas ao ambiente produtivo, às reivindicações trabalhistas e às injunções legais. De todo modo, a iniciativa de tornar as ações transparentes através da divulgação de um balanço social faz com que o cidadão tenha maior grau de informação e, na condição de consumidor, maior confiança e possibilidade de escolha; e como efeito associado, pode ainda contribuir para uma mudança da concepção mais tradicional no interesse econômico dos empresários.

Trata-se, portanto, de um recurso de marketing que, além de expor as áreas de investimento e os recursos a elas destinados, também torna públicas, de forma esquemática e de certo modo panfletária, as visões que orientam tais investimentos. Enquanto não há um dispositivo legal ou mesmo uma aceitação generalizada de um padrão para a elaboração dos balanços sociais, eles são construídos de forma a salientar os aspectos que mais interessam ser divulgados. Mesmo assim, esse é, como já foi indicado, o mecanismo mais informativo para "medir" os investimentos, sua importância comparativa aos lucros, as áreas que absorvem mais atenção, a regularidade dos programas; é a prestação de contas da responsabilidade interna e externa das empresas.

Diante desses elementos caracterizadores da campanha pela responsabilidade social, observa-se que ainda há uma ausência de nitidez entre o que parece ser uma campanha genérica, voltada para o mercado, e o que efetivamente indica a participação sistemática e institucionalizada dos empresários nos programas de intervenção social. Ainda não é possível saber se se trata de um cenário de implantação de novas propostas de ação, na forma do que aqui se denominou filantropia empresarial, ou da exemplificação temporária de como a responsabilidade social das empresas deve se ocupar de temas que mobilizem a vida social e política do país. A década que inaugura o novo milênio trouxe de volta a questão social como pauta para a agenda. Resta saber por quanto tempo o interesse empresarial dela se ocupará, e no que resultará essa participação.

Considerações finais

Ao longo deste livro, a filantropia empresarial brasileira foi apresentada como a manifestação de alguns processos combinados: a emergência de uma nova mentalidade empresarial baseada na idéia da responsabilidade social; a crítica feita ao Estado, em oposição à eficiência empresarial; a negação do modelo assistencialista de tratamento aos pobres; a importância do marketing em torno das causas sociais como forma de agregar valor; entre outros. Reconhecidos como uma espécie de "carta de intenções", esses reclames foram analisados a partir de discursos de um campo ainda em formação e relacionados a contextos e valores que os situam social e politicamente.

Embora já tenha sido indicado que o interesse dos empresários pelo social não é recente, o modelo contemporâneo da filantropia empresarial introduz uma preocupação maior com ações integradas. A entrada do setor empresarial num campo composto por diferentes projetos relacionados à intervenção social revela a busca de identificação com determinados agentes e de distinção em relação a outros. A constituição de um "terceiro setor", que incorpore as ações sociais empresariais, é inegavelmente matéria de discussões polêmicas. A predominância de um estilo empresarial de pensar a lógica da intervenção tem se afirmado de diferentes modos, indicando mudanças no padrão de gestão, na relação com o poder público e na organização tanto das instituições privadas como das governamentais.

O consenso em torno da responsabilidade social como valor positivo não implica uma versão uniforme acerca de como exercê-la; a idéia compreende um largo espectro de ações e comportamentos que podem ou não ocorrer de forma integrada. Portanto, ser responsável pode ser desde simplesmente operar segundo as regras do jogo, cumprindo contratos e obrigações legais, favorecendo acionistas e consumidores, até se comprometer com programas e atividades além da esfera estritamente econômica.

Mesmo diante de certas ressalvas críticas que esse tema suscitou ao longo do livro, é necessário reconhecê-lo como um movimento que tem um papel de interpelação importante no campo da intervenção. Seu credenciamento como um "novo" ator nesse campo obriga os demais a revisarem seus projetos e visões acerca da participação social.

Há, portanto, elementos novos no interesse dos empresários pela questão social. Há maior poder de escolha e veto por parte dos cidadãos. Há uma reorientação na lógica do Estado brasileiro, no sentido de constituir uma esfera pública mais participativa. Não menos importante, há valores em disputa no campo da intervenção, e, também, disputa por valores conquistados com enorme custo.

Referências e fontes

• Sobre as dimensões da filantropia no período republicano, valho-me do trabalho de Maria Luiza Mestringer, "O Estado entre a filantropia e a assistência social" (São Paulo, Cortez, 2001).

• As idéias de "prevenção, contenção e assistência" apresentadas foram inspiradas pelo artigo de Sérgio Adorno "A gestão filantrópica da pobreza urbana", publicado na *Revista Perspectiva*, abr/jun 1990.

• O trabalho de Francis Ostrower, citado na pág. 13, foi utilizado como exemplificador do modelo americano: *Why the wealthy give — the culture of elite philanthropy* (Princeton, Princeton University Press, 1995).

• Sobre a construção da cidadania no Brasil, utilizo a concepção de José Murilo de Carvalho presente no livro *Cidadania no Brasil* (Rio de Janeiro, Civilização Brasileira, 2002).

• O debate acerca da refilantropização do social aludido no subitem "As novas configurações do social" é inaugurado por Carmelita Yasbek no artigo "A política social brasileira nos anos 90: A refilantropização da questão social", *Cadernos Abong*, 1995.

- Sobre a degradação da sociedade salarial, faço referência ao livro de Robert Castel, *As metamorfoses da questão social: Uma crônica do salário* (Petrópolis, Vozes, 1998).

- Uma das publicações inaugurais sobre a constituição do "terceiro setor" no Brasil é o trabalho de Rubem Cesar Fernandes: *Privado, porém público: o terceiro setor na América Latina* (Rio de Janeiro, Relume-Dumará, 1994).

- Os quadros apresentados na seção "Os empresários e o social" foram extraídos das pesquisas de Mariesa Toldo, "Responsabilidade social empresarial" (*Ethos-Valor*, 2002) e Anna Peliano, "Bondade ou interesse? Como e por que as empresas atuam na área social" (Brasília, Ipea, set 2001).

- A referência a William Penn foi extraída de uma das obras mais consultadas sobre o espírito filantrópico americano, *American Philanthropy* (Chicago, University of Chicago Press, 2ª edição, 1988), de Robert Bremmer.

- Sobre a força do marketing na cultura contemporânea utilizo o trabalho de Naomi Klein, *Sem logo* (Rio de Janeiro, Record, 2002).

- O quadro 4 foi extraído da dissertação de mestrado em administração pela PUC-SP de Paulo Rogério Lima, "Responsabilidade social: A experiência do Selo Empresa Cidadã na cidade de São Paulo, 1999", defendida em 2001.

- A citação da p.47 foi retirada de Fred Hirsch, *Limites sociais do crescimento* (Rio de Janeiro, Zahar, 1979).

Leituras recomendadas

Devido ao caráter ainda recente da campanha no Brasil, a produção teórica sobre o tema é circunscrita e predominantemente revestida de um conteúdo de exaltação do fenômeno. Sem procurar esconder essa tendência, sugiro leituras que mesclam diferentes olhares e graus de entusiasmo.

CAPPELLIN, Paola, et alii. "Organizações empresariais em face da responsabilidade social das empresas no Brasil", in *Balanço Social — teoria e prática* (Rio de Janeiro, Atlas, 2000). Esse livro reúne pesquisas significativas sobre a responsabilidade social das empresas, especialmente a discussão do balanço social. O artigo que sugiro é mais abrangente e, por isso, aborda o fenômeno nas suas diferentes expressões.

DUARTE, Gleuso Damasceno e Dias, José Maria A.M. *Responsabilidade social: A empresa hoje* (Rio de Janeiro/São Paulo, LTC, 1986). Trata-se de um texto pioneiro sobre a responsabilidade social das empresas no Brasil. Foi publicado antes mesmo de a campanha adquirir visibilidade no cenário político e acadêmico.

FALCONER, Andres Pablo e Vilela. *Recursos privados para fins públicos — as grantmakers brasileiras* (São Paulo, Peirópolis, Grupo de Institutos Fundações e Empresas, 2001). Pode ser considerado um dos textos mais consistentes de divulgação da campanha pela responsabilidade social das empresas.

IOSCHPE, Evelyn et alii. *Terceiro setor: Desenvolvimento social sustentado* (Rio de Janeiro, Paz e Terra, 1997). Esse livro é produto de um Encontro Ibero-Americano do Terceiro Setor, realizado em setembro de 1996 no Rio de Janeiro. Reúne textos de estudiosos, pesquisadores e ativistas mobilizados para a consolidação do debate e das práticas do "terceiro setor" no Brasil.

PAOLI, Maria Célia. "Empresas e responsabilidade social: os enredamentos da cidadania no Brasil", in Santos, Boaventura (org.). *Democratizar a democracia* (Rio de Janeiro, Civilização Brasileira, 2002). Recomendo a leitura desse artigo por considerá-lo uma crítica qualificada à campanha pela responsabilidade social das empresas.

PAULA, Sérgio Goes e Rohden, Fabíola. *Empresas e filantropia no Brasil: um estudo sobre o Prêmio ECO* (Rio de Janeiro, Projeto Filantropia e Cidadania, Iser, 1996). Esse texto é resultado de uma das pesquisas inaugurais sobre a filantropia empresarial. Contribui para o debate conceitual sobre o setor "sem fins lucrativos".

Sobre a autora

Joana Garcia nasceu em Petrópolis (RJ) em 1966. É atualmente professora da Escola de Serviço Social da Universidade Federal do Rio de Janeiro (UFRJ), mesma instituição em que construiu toda sua carreira acadêmica, da graduação ao doutorado. Tem se dedicado a pesquisas sobre políticas públicas voltadas para a infância e juventude e sobre a atuação dos empresários na área social. É co-autora do livro *Sociedade e políticas: Novos debates entre ONGs e universidades* (Revan, 2003).

Coleção **PASSO-A-PASSO**

1. **Hegel**, Denis L. Rosenfield
2. **Nietzsche**, Nelson Boeira
3. **Hobbes**, Maria Isabel Limongi
4. **Adorno/Horkheimer & a Dialética do Esclarecimento**, Rodrigo Duarte
5. **Filosofia da linguagem**, Claudio Costa
6. **Heidegger & Ser e tempo**, Benedito Nunes
7. **Hobbes & a liberdade**, Júlio Bernardes
8. **Nietzsche & Para além de bem e mal**, Oswaldo Giacoia Junior
9. **Sófocles & Antígona**, Kathrin H. Rosenfield
10. **Cultura e empresas**, Lívia Barbosa
11. **Relações internacionais**, Williams Gonçalves
12. **A interpretação**, Laéria B. Fontenele
13. **Arte e psicanálise**, Tania Rivera
14. **Freud**, Marco Antonio Coutinho Jorge e Nadiá P. Ferreira
15. **Hegel & a Fenomenologia do espírito**, Paulo Meneses
16. **Schopenhauer**, Jair Barboza
17. **Adorno & a arte contemporânea**, Verlaine Freitas
18. **Rawls**, Nythamar de Oliveira
19. **Freud & a cultura**, Betty B. Fuks
20. **Freud & a religião**, Sérgio Nazar David
21. **Para que serve a psicanálise?**, Denise Maurano
22. **Depressão e melancolia**, Urania Tourinho Peres
23. **A neurose obsessiva**, Maria Anita Carneiro Ribeiro
24. **Rituais ontem e hoje**, Mariza Peirano
25. **Capital social**, Maria Celina D'Araujo
26. **Hierarquia e individualismo**, Piero de Camargo Leirner
27. **Freud & a filosofia**, Joel Birman
28. **Platão & A República**, Jayme Paviani
29. **Maquiavel**, Newton Bignotto
30. **Filosofia medieval**, Alfredo Storck
31. **Filosofia da ciência**, Alberto Oliva
32. **Heidegger**, Zeljko Loparic
33. **Kant & o direito**, Ricardo Terra
34. **Fé**, J.B. Libânio
35. **Ceticismo**, Plínio Junqueira Smith
36. **Mito e psicanálise**, Ana Vicentini de Azevedo
37. **O adolescente e o Outro**, Sonia Alberti
38. **A teoria do amor**, Nadiá P. Ferreira
39. **Sociologia do trabalho**, José Ricardo Ramalho e Marco Aurélio Santana
40. **O negócio do social**, Joana Garcia
41. **Origens da linguagem**, Bruna Franchetto e Yonne Leite